agrans

num x morifolium

秋天，
很高兴认识你！

中国植物
很高兴认识你

autumn

米莱童书 著 / 绘

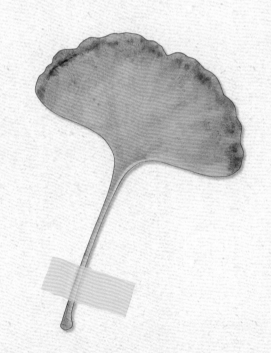

Lycoris radiata

Castanea mollissima

Amygdalus persica

Acer palmatum

Populus euphratica

北京理工大学出版社
BEIJING INSTITUTE OF TECHNOLOGY PRESS

让你的童年，与植物为友

小朋友，你有没有这样的好奇：放学回家路上的那棵树叫什么名字？石缝里的苔藓也是植物吗，为什么和其他植物长得不一样？为什么有的植物叶片宽宽大大的，有的细细小小的呢？为什么冬天有的树会掉光叶子，它们光秃秃的不怕冷吗？粮食、蔬菜和水果是怎么从田野中长出来的？除此之外，你是不是还想到过这样的问题：为什么语文课本的诗词里面有很多植物的名字？我们的餐桌上，没有植物会怎样？春天爸爸炒的香椿为什么那么美味，为什么不能一年四季吃到它？妈妈在窗台上种的一盆盆小"多肉"会开花吗？

当你问到这些问题时，欢迎你，进入神奇的植物世界！植物是我们人类亲密的朋友，可以说我们的一生都离不开它。植物是宇宙中不可思议的神奇创造，千百年来，人们与草木和谐共生。老杏树下，孔子设坛传道授业；林荫道边，亚里士多德与学生边散步边探讨学问；菩提树下，释迦牟尼静坐七天七夜，顿悟成佛；达尔文在与大自然的亲密接触中萌发了科学兴趣，最终走向科学之路。古今中外，很多思想者、文学家、艺术家、发明家、科学家都是从植物中获得灵感，发挥了巨大的想象力而创造出了不起的作品。人们愿意与植物为友，因为植物让人宁静，启发人的灵性。

打开这本书，你将走进一场心灵治愈之旅，感受植物的美好。跟随春、夏、秋、冬四季的脚步，认识40种具有鲜明特色的中国植物。这些植物在我国都有漫长的生长历史，都有自己独特的故事。你的家乡无论是在内蒙古草原还是青藏高原，无论是在西北大漠还是江南水乡，你都能从书里找到自己家乡的植物。从高耸入云的参天大树，到低矮呆萌的多肉植物，从"三千年不倒"的沙漠"勇士"，到"穿越"亿万年的孑遗"元老"，你都能从书里找到最喜欢的植物。

你会发现，植物既美丽又浪漫，既智慧又坚强。所以爸爸妈妈会把你们带到大自然中去，陶冶情操，接受大自然艺术的熏陶。植物虽然不会说话，但它们有着惊人的生存策略，强大的繁衍力量，植物比人类更早诞生在地球上，亿万年来，它们进化出坚强的基因，延续着古老的血脉。它们在大自然生态系统中占有重要地位，植物的生存智慧绝妙而神奇，给人们带来了探索不尽的启示。

你会发现，植物除了告诉我们生命的密码，还赋予我们文化的意义。小小的植物，竟能够改变历史，影响世界文明。从丝绸之路到大唐盛世，从二十四节气到《诗经》《楚辞》，植物与我们中国人有着深厚的文化渊源。

当你看完这本书，就有了新的眼光去看待这个世界——你看到的不再只是花红柳绿的风景，而能看穿花朵吸引传粉的"心机"；你将学会欣赏叶子变化多端的颜色与形状，探索植物保护自己的"法宝"；母亲节来临时你会送妈妈一束萱草，因为你知道它是中国人的母亲花；你还会区分那些"同名异物""同物异名"的植物，甚至帮大人解答一些常识性问题……我相信你一定会特别有成就感。偷偷告诉你，如果你尝试亲手栽种一盆花草，亲自浇灌它，观察生命一步步绽放，你将收获超出想象的惊喜！

如果你问我，为什么要认识植物？我想说，从植物身上能感受到大自然蓬勃向上的精神。这种精神就如同一粒种子，在你的内心发芽，长出一个饱满而丰盈的世界。植物，是大自然送给你们的幸福一生的礼物。

四季轮回，万物更迭。植物承载着春的希望，挥洒着夏的率性，饱含着秋的殷实，酝酿着冬的含蓄。植物的四季变化会激发出我们无限的想象力。孩子，当你看完这本书，去寻找书里的植物吧，多留意下身旁的花草树木。如果有可能，当假期来临的时候，抛开手机、电脑这些科技"怪物"一会儿，穿着舒适的衣服和鞋子，在爸爸妈妈的陪伴下，选择一个风和日丽的好天气，去森林和田野吧，躺在青草地上，尽情呼吸植物美妙的气息，聆听鸟儿快乐的啼鸣，感受大自然的和谐，你会发现这比虚幻的网络世界更有价值。

从今天起，试着关注身边的植物吧。尝试与植物做朋友，慢下来，驻足、观察、凝视它们。当你懂得了植物的魅力，学会去欣赏它、守护它，你就学会了尊重和爱，这种可贵的素养将沉淀为生命的底色。

从今天起，热爱植物，拥抱大自然，感恩生命，敬畏世间万物。

走，向大自然出发！

北京大学终身讲席教授
中国植物学会理事

苏部莫日根

首席顾问

苏都莫日根　北京大学终身讲席教授

中国植物学会理事

特约审阅

胡　君　中国科学院大学植物生态学博士

中国科学院成都生物研究所助理研究员

付其迪　中国林业科学研究院林学硕士

中国科学院植物研究所植物科学数据中心数据管理员

米莱童书

　　由国内多位资深童书编辑、插画家组成的原创童书研发平台，"中国好书"大奖得主、"桂冠童书"得主、中国出版"原动力"大奖得主。现为中国新闻出版业科技与标准重点实验室（跨领域综合方向）授牌的中国青少年科普内容研发与推广基地，致力于对传统童书进行内容与形式的升级迭代，开发一流原创童书作品，使其更加适应当代中国家庭的阅读与学习需求。

原创团队

策 划 人：	刘润东　魏　诺
创作编辑：	韩路弯　刘彦朋
绘画组：	杨　静　都一乐　叶子隽　金思琴　吴鹏飞
	徐　烨　臧书灿
科学画绘制组：	吴慧莹　滕　乐　刘　然　阮识翰
美术设计：	刘雅宁　张立佳　孔繁国

自然寻踪

民以食为天

稻

10

把浪漫带到月亮上

木犀

6

14

像树不是树

香蕉

18

吉祥的隐逸之花

菊花

好吃的"小刺猬"

栗

34

"天下第一果"竟是它

桃

30

三千年不倒

胡杨

42

霜叶红于二月花

鸡爪槭

38

1.20元

稻

民以食为天

小森叔叔：

　　您好！
　　今天语文课上，我学习了《悯农》，老师说，我们平时吃的大米就是水稻变的，它生长在稻田里，农民伯伯要在稻田里插秧苗，它们才会越长越高。我很好奇从稻田里的稻谷到常见的大米，水稻经历了什么呢？
　　小森叔叔，您能告诉我吗？
　　期待您的回复。

心怀好奇的安安

安安:

　　你好，很开心你又有了新的疑问。

　　一万多年前的一个温暖的午后，风轻轻吹过，果实和种子也随风飘落在地，我们的祖先通过观察，发现每年过冬后新长出来的草和食物，就跟这些飘落的籽粒有关，这些籽粒中，一种生在中国南方的野草，就是野生稻，又经过了若干年的栽培，被我们祖先驯化成了水稻。

　　每年的春季是水稻播种的季节，种子被播种在苗床上，再人工转移到水田里。为了减轻这种辛苦的劳动，人们利用水牛进行耕种。在长江流域中下游的平原具有适宜的水稻种植环境，因为有良好的灌溉系统。

　　稻谷成熟后，脱掉最外层的稻壳，经过人们一步步的加工，最终到了我们的餐桌上。所以古人才说"粒粒皆辛苦"。

　　希望我的回答能帮助到你。

你的大朋友小森

小森的植物笔记

水稻不一定全都种在水里

有一种稻子叫作"旱稻"，就是可以生长在干燥的土里的，它们不仅比较适应在旱地的生活，也能够适应在水田或者洼地的生活，可以说是一种很厉害的水稻品种，可是和专门在水田里生活的水稻相比，产量会低一些，米的品质也稍微差一点。

中旱稻
3号

秧苗不倒的小秘密

看到农民伯伯插秧，会惊讶于小秧苗根须的牢固。只要轻轻一插，它就能牢牢地扎进水里。这是因为水稻的不定根很发达，可以帮助植株固定在水田中，也不会因为刮风下雨等外力的作用就轻易地移动，真的很厉害！

了不起的袁隆平和他的杂交水稻

杂交水稻一直是科学界的难题，因为水稻是自花授粉的作物，不……杂交优势。

在 1964 年至 1965 年水稻开花的季节里，袁隆平和他的助手们每天……顶烈日，脚踩烂泥，终于在稻田里找到了 6 株天然雄性不育的植株，开……

……了对水稻杂交的观察试验。……们用数千个品种进行了大量……杂交组合，多年之后最终成……培育出了杂交水稻，令水稻……产量大幅增加，也改变了无数……人的命运。袁隆平被誉为"世界杂交水稻之父"。

（摘自《米莱植物文化报》）

广泛栽培的水稻

我国栽培水稻的面积非常广阔，摊开一张中国地图，会发现从最东边的江浙地区，到最西边的新疆、西藏，从最南边的南海诸岛，到东北的松辽平原，都有着水稻的身影。

糕灯七六

稻

Oryza sativa L.

别　　名:水稻

科:禾本科　　　　属:稻属

分布区域:中国大部分地区均有栽种

花　　期:5—6月　果　　期:7—9月

1.花；2.颖果；3.穗；4.叶舌；5.全株。

1.20元

木犀

把浪漫带到月亮上

摘得桂冠也和桂花有关呢！

我们考试得第一名叫摘得桂冠，这桂说的其实就是桂花。古时科举考试正处在秋季，又称为秋闱，恰逢桂花开的时候，所以"折桂"借喻高中状元。称考试高中为"蟾宫折桂"，喻指参与考试选拔过程的艰难，赞美状元及第者的聪敏幸运。

（摘自《米莱植物文化报》）

小森叔叔：

您好！

今天是中秋节，祝愿您节日快乐。早上起床，推开窗户，就可以闻到一阵阵桂花的香味。每当这一天，我们都会团聚到一起看花赏月。晚上，乐乐指着月亮说，里边有个叫吴刚的在砍月中的桂树呢！

我知道这是个传说，我还知道月宫叫作"桂宫"，有些地方还会喝桂花酒呢！

小森叔叔，您了解桂花的这些传说吗？能讲给我们听听吗？

期待您的回信！

安安

安安：

　　你好！
　　很开心你能在这个特殊的日子给我写信。桂花是我很喜爱的植物，以前我家的大宅院里，种了两株金桂。这花不和繁花斗艳，不开花时，只是满树茂密的叶子，开花时，花朵也不显眼，可那香气，真是迷人。
　　我国桂花的栽培历史特别久远，也不知从何时开始古人就有了中秋赏桂的习俗。相传，月亮上的广寒宫广植桂树。有一个叫吴刚的人，因学仙时不遵道规，被罚去月亮上伐桂树，但桂树随砍随合，总不能伐倒。千万年过去了，吴刚总是每日辛勤伐树，而那棵神奇的桂树却依然如故，生机勃勃。传说吴刚砍树时，月中的桂子会不小心震落人间，如果有幸捡到的话，那会是一生的好运气。
　　至于桂花酒，也是中秋佳节不可少的，此刻能和亲人朋友甜甜蜜蜜，欢聚一堂，赏月饮酒，真是人生最快乐的事。
　　不知道我的答复，你是否满意呢？

　　　　　　　　　　　　　　　　你的大朋友小森

小森的植物笔记

桂花为什么特别香呢？

桂花的花瓣看起来小小的，为什么它却那么香呢？这是因为它会分泌出很多芳香油，这些油很容易挥发，会散发到空气里，闻起来特别香。

桂花四大品类

金桂 花瓣金黄色。

银桂 花瓣接近白色或者黄白色。

丹桂 香气最浓，花瓣有橙黄、橙红和朱红色等。

四季桂 花期最长，四季开花，香味最淡。

做桂花香水！

1. 在一个玻璃罐里铺上一层粗布，布的边角要从罐边垂下。

2. 将花朵放进罐里的粗布上，用手把桂花按压到罐子底部。

3. 倒入适量的清水，淹没花朵，浸泡24小时以上。

4. 拽着边角把粗布拉起来，把花包起来，把花瓣里的水挤出来。

5. 然后把所有的水倒进锅里，加热，让水一直蒸发到少于1厘米深。

6. 把香水倒进子里即可。

2

4

1

3

L.R.

木犀
Osmanthus fragrans
(Thunb.) Loureiro

別　名:桂花、岩桂

科:木犀科　　　属:木犀属

分布区域:全国各地广泛栽培

花　　期:9—10月　果　　期:翌年3月

1.花枝；2.枝条；3.果枝；4.种子。

小森叔叔：

　　您好！
　　今天是重阳节，一大早我就跟爷爷来爬山了，爷爷说古代有重阳节插茱萸的风俗，我们走了挺远的山路，还采了几枝茱萸。每年这个时候，我们还会赏菊花，据说菊花象征着长寿，所以这一天赏菊也就成了重阳节习俗的组成部分，可是小森叔叔，这是从什么时候开始的习俗呢？您知道吗？
　　期待您的回信！

安安

1.20元
菊花

吉祥的隐逸之花

安安：

你好！

很开心你能在这个特殊的日子给我写信，重阳又称菊花节，在这一天，人们除了登高赏菊，还会吃重阳糕、饮菊花酒。

据说重阳节赏菊的风俗起源于晋朝大诗人陶渊明，那句"采菊东篱下，悠然见南山"影响了很多人。到了宋代，重阳赏菊之风盛行，当时的菊花就有很多品种，千姿百态。清代时，北京重阳节的习俗是把菊花枝叶贴在门窗上，用于辟邪。清代以后，赏菊之习尤为昌盛，且不限于九月初九，但仍然是重阳节前后最为繁盛。

祝愿天下的老人都幸福安康，也希望你能过得快乐！

你的大朋友小森

小森的植物笔记

"宁可抱香枝上老"

古人说花开花落，可菊花似乎从来都不凋零，最后也只是干枯地老去。这是因为它具有舌状花花瓣，这种花是单性的雌性花，不会受精发育，所以，它不会像别的花发生细胞分裂而形成离层区，而能保留较长时间不凋落。

菊花的头状花序

菊花有那么多花瓣，其实它并不是一朵花，而是由许许多多形状和大小各异的花序组成的"小花篮"，称为头状花序。这种高度离生的花丝是为了方便昆虫采蜜传粉，是被子植物中相当进化的生理结构。它的花心是筒状花，花瓣是舌状花。

千姿百态的菊花

从植物学的角度来说，菊花按植株形态可以分成三类：一是花头大、植株健壮的独本菊，一般用作家庭盆栽；二是在世界各国广为栽培的切花菊，花小小的、圆圆的，花朵数量很多；三是植株低矮、花朵较小、抗性强的地被菊，一般用来装饰公园的风景。

切花菊

独本菊

菊科植物大家族

地被

菊科植物在生活中很常见，向日葵、苍耳、矢车菊、蒲公英、雏菊、百日菊、波斯菊、万寿菊、大丽菊、瓜叶菊都是菊科植物。

菊花
Chrysanthemum ×
morifolium Ramat.

别　　名：寿客、金英、黄华、秋菊、陶菊、隐逸花	
科：菊科	属：菊属
分布区域：全国各地广泛栽培	
花　　期：8—9月	果　　期：9—11月

1.根；2.开花的枝条；3.种子。

1.20元

香蕉

像树不是树

小森叔叔：

您好！

好开心，我终于来到西双版纳了！骑在大象背上我特别紧张，不过我不害怕，因为大象是友好的动物。今天我还第一次参观了香蕉林，香蕉树原来那么高大，上面挂了一大串一大串的绿色香蕉，我想这么多香蕉，云南的小朋友一定会撑破肚皮的。

小森叔叔，我看农民伯伯把这些大串的绿色香蕉都摘了下来，可为什么我们吃到嘴里却是黄色的呢？您能告诉我吗？

期待您的回复。

心怀好奇的安安

安安：

　　你好，很开心你又有了新的疑问。真羡慕你能在香蕉林里与大象做朋友，香蕉是我们很常见的一种热带水果，甜甜的又很有营养，它一般产在我国的海南、广东、广西、云南等地方，所以在北方见不到香蕉树。其实，刚采摘下来的香蕉还没有完全成熟，它的表皮中含有叶黄素和叶绿素，摘下来的香蕉分泌的酵素与叶绿素发生化学反应，破坏了叶绿素，绿色就会消失，黄色便显示出来了，所以，香蕉就渐渐变黄了。

　　快要成熟的香蕉会释放一种催熟的物质，叫作乙烯，通过它的作用，随着时间的推移，运到外地的香蕉正好成熟了。

　　希望我的回答能帮助到你。

你的大朋友小森

著名的热带水果

小森的植物笔记

香蕉种子

平时吃水果，很容易见到果壳，可是剥开香蕉皮，就只吃到了果肉，那它的果核在哪里呢，莫非它没有种子？其实，香蕉果肉里面一排排的褐色小点就是它的种子，但是香蕉的种子缺少胚乳，很难萌发成香蕉树，所以香蕉树一般采用扦插、压条等无性繁殖的方法，所以果肉内留下的其实是一颗颗已经退化的种子。

香蕉树 VS 香蕉草

香蕉树虽然又粗又高，可摸上去是软软的，这是因为它其实是一种高大的"草"，并不是"树木"。它真正的茎是地下的块状茎，那里贮存着丰富的营养物质，香蕉的根系、叶片、花轴和吸芽都是从这里长出来的。而地面上的"树干"部分则是由叶鞘相互包裹所成的假茎，每一片新叶，都是从中心部分的地下茎生出的。

所以，香蕉树并没有坚硬的木质部，人们为了区别它和香蕉的果实，才称它为"香蕉树"的。

碰过的香蕉为什么会变黑？

特约撰稿○米莱自然科学小组

香蕉皮被碰撞或挨了冻后，会出现黑色的斑点，这是因为在香蕉表皮中含有一种酶，平时它被细胞膜紧密地包裹着，没有机会与空气接触，但是一旦碰伤、受冻，细胞膜破了，酶就流出来，帮助香蕉里的酚类物质与空气中的氧发生氧化反应，生成一种黑色的产物。所以，香蕉表皮就会变黑。

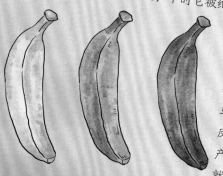

水果为什么有皮呢？

平时吃的水果，为什么都有果皮呢？植物结出果实，是要果实中的种子来传宗接代的，所以它们不得不保护好自己的孩子，果皮就是履行这个使命的。首先，果皮可以防止果肉干燥，保护它；其次，坚硬的果皮可以防止昆虫、鸟类的破坏，使它们不能轻易地吃到果肉。最后，果皮还可以防止病毒、紫外线等的入侵。所以，水果有皮，正是它们护子心切表现。

小森收藏的
科学画

1   2   3   4

香蕉
Musa nana Lour.

1. 开花植株；2. 单朵花；3. 苞片及花；4. 果实。

别　　名：金蕉、弓蕉	
科：芭蕉科	属：芭蕉属
分布区域：中国南部部分省区有栽培	
花　　期：全年	果　　期：全年

嗨，小森叔叔：

您好！
好久没有给您写信了，最近我一直忙着采集树叶做标本。秋天到了，好多树叶都落了，我昨天和安安还去了银杏大道，我们捡了好多落叶。银杏叶子可真好看，就像一把小小的扇子，摸起来滑滑的，上面还有一条条凸起来的棱。我听说银杏也是一种古老的植物，您能讲讲它的历史吗？
期待您的回复。

乐乐

1.20元

银杏

穿越亿万年的古老植物

嗨，乐乐：

　　你好，终于收到了你的来信。
　　你说得不错，银杏是很古老的植物，大约从2亿多年前的侏罗纪时代开始，那时我们的地球被庞大的恐龙家族统治着，气候很温暖。渐渐地，大陆开始分裂，裂缝中涌入了海水，给内陆的沙漠带来雨水，湿润的气候使丰富的植物开始生长。银杏家族就是那时候出现的，可以说，银杏是树木界的"鼻祖"了。
　　经过亿万年的演化，银杏家族内的很多其他植物都已经灭绝了，地球上只剩银杏这一条血脉，坚定地传承着家族的古老血统，一直延续到现在。所以，当你捡起这枚小小的叶片，一定不要忘记，它们是经过了亿万年才来到我们身边的，是如此的珍贵！
　　祝你们玩得开心，也期待你的再次来信！

　　　　　　　　　　　　　你的大朋友小森

国家一级保护植物

小森的植物笔记

银杏分"男女"

银杏的长相特别好认，有扇形的叶片，和其他树的叶子也不同，是一簇簇地生长在枝条上。而且枝条有长有短，路旁常见到的是雄树，它们是不会结果的。如果绿化工程师们不小心种错树，那就麻烦啦，雌性银杏的果实会掉落在地上，空气中会有臭的味道，人不小心踩到还容易滑倒。

银杏可以吃

人们常说的银杏"果"，其实是银杏的种子的肉质外种皮，成熟时是淡黄色或橙黄色的。银杏圆溜溜的，挂在树上很好看，洗去果肉之后，里面的果仁可以吃。白果在宋代被列为皇家贡品，日本也有吃白果的习惯，西方人圣诞节也常备白果。论是白果还是银杏叶都有轻微的毒性，多吃会引毒，所以食用时一定要注意方法得当。

银杏叶为什么会变黄？

秋天很多树叶都会变黄，也包括银杏叶子，这是怎么回事呢？其实这跟叶绿素有关，它的合成过程中需要较强的光照和较高的温度，因为入秋后气温降低，叶绿素的合成变慢，而叶黄素和胡萝卜素不受这些条件的影响，所以秋天的银杏叶自然就变成了黄色。

长寿的银杏树

●专栏作者 小森

银杏树还有个名字叫作公孙树，意思是爷爷栽树，孙子才能看到结果，因为一粒银杏种子从萌发到结果要经过30年的时间，银杏生长又很慢，一般能活几百年甚至上千年。那些有着岁月痕迹的古老银杏树生长在同样古老的遗址旁，也成为当地自然和人文的绝佳景观呢！

做个银杏叶艺术品

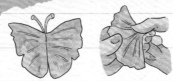

1. 对折叶片。	2. 叶柄绕过去，打一个结。	3. 展开叶片。	4. 把叶片成两条。

糕灯七六

银杏

Ginkgo biloba L.

别　　名: 白果、公孙树、鸭掌树
科: 银杏科　　　　属: 银杏属
分布区域: 全国各地广泛栽培
花　　期: 4—5月　　果　　期: 8—11月

1. 枝条; 2. 种子剖面; 3. 雄球花; 4. 叶; 5. 种子。

小森叔叔：

　　您好！
　　天气开始变冷了，今天是霜降，是秋季的最后一个节气。我们到树林里画画，我看到一种红色的花，开得特别艳丽，乐乐说，它叫石蒜。呃，怎么会有这么怪的名字？他还说这是霜降的专属花，真的是这样吗？
　　期待您的回复。

心怀好奇的安安

1.20元

石蒜

花开彼岸

安安：

　　你好，我看了你拍的照片，乐乐说得没错，那花确实是石蒜，石蒜的地下鳞茎呈球形，像大蒜，又多生长在石堆环境中，所以叫石蒜。不过它跟蒜可没有关系，蒜是百合科植物，而石蒜是石蒜科植物，它的鳞茎是有毒的，不能随便吃。

　　石蒜还有另一个名字——彼岸花。在传说中，它常常和生死、别离相关，而霜降是秋季的最后一个节气。俗话说："霜降杀百草。"霜降过后，植物渐渐失去生机，大地一片萧索，彼岸花代表的别离意味就更加深长了。

　　天气越来越冷，出门记得添加衣服！

你的大朋友小森

小森的植物笔记

花和叶两不相见

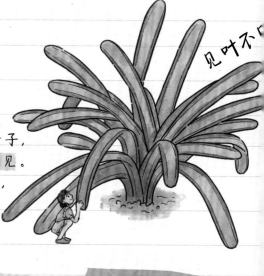

石蒜秋天开花后，渐渐长出叶子，到次年夏天叶子枯萎，接着再立起开花。花开时看不到叶子，有叶子时看不到花，所以，人们说它花叶两不相见。这是因为石蒜类的特性是先抽出花葶（总梗）开花，花末期或花谢后出叶；还有另一些种类是先抽叶，在叶枯以后抽葶开花，所以才有了"彼岸花，开彼岸，只见花，不见叶"的说法。

在长江流域附近、背阴的山坡上、溪流旁，常常能看到石蒜的身影。作为东亚常见的园林观赏植物，石蒜也被广泛栽种在各种花坛里，冬赏其叶，秋赏其花，花开时是一片鲜红色的海洋，非常壮观。

因为不同国家的文化传承不同，石蒜的花语也不一样。中国人喜欢红色，觉得石蒜开得美，所以它的花语是"优美纯洁"；深受"彼岸花开开彼岸"的文学影响，在朝鲜它的花语是"相互思念"，在日本它的花语是"悲伤回忆"。

（摘自《米莱植物文化报》）

原产在中国的观赏花

石蒜科植物大家族

水仙　　君子兰　　葱莲

L.R.

石蒜
Lycoris radiata
(L'Her.) Herb.

| 别　　名：彼岸花、龙爪花、蟑螂花 |
| 科：石蒜科　　　　属：石蒜属 |
| 分布区域：秦岭以南大部分地区及山东 |
| 花　　期：7—9月　果　　期：9—10月 |

1.花苞；2.盛开花冠；3.鳞茎及叶；
4.鳞茎切面；5.果实。

小森叔叔：

您好！

您知道秋天到了，我最开心的是什么吗？是能吃到好吃的糖炒栗子！今天爸爸一早带我来乡间玩，说这附近就有成片的栗子林，农民伯伯采收了栗子还有很多漏网的，我们可以捡来自己做糖炒栗子，简直太开心了！

可小森叔叔，您知道吗？栗子的果皮居然长得像"小刺猬"，硬硬的，又可爱又让人不敢靠近，这是怎么一回事呢？

小森叔叔，您能告诉我吗？

期待您的回复。

心怀好奇的安安

1.20元

栗

好吃的"小刺猬"

安安：

你好！

嗯，我也爱吃糖炒栗子，可能栗子自己也知道人们爱吃它，所以，在种子还没成熟时，包裹果实的总苞外壳有尖刺，这当然是为了保护里面的种子，如果果实被动物吃掉或破坏就糟了。而等种子成熟了，多刺的外壳会自动裂开，露出里头的种子，种子也能掉落地面发芽，从而延续栗子树的生命。这也就解释了为什么成熟的栗子外壳都很容易裂开。

栗树的故乡在中国，栽培历史就更久远了，科学家还在陕西挖出了距今 6000 多年前的栗果化石，而且南京博物院里陈列着距今 3600 年前用来烧陶瓷和炼铁的栗碳，《诗经》里还有描写栗子的诗句，那会儿板栗的品种就有 400 多个，而且栗树的叶子，在古代和桑叶的功能类似，都可做蚕的饲料。

期待我的回答对你有用。

你的大朋友小森

小森的植物笔记

板栗和它的小帽子

在植物学上，板栗属于壳斗科，"壳斗"是由总苞发育而包被在坚果外面，形态各式各样，就像坚果外边套的帽它的帽子刺刺的，新鲜的板栗就像绿色的小刺猬。

涩涩的栗子种皮

吃栗子会发现有一层涩皮，其实涩味来自皮中所含的单宁，涩皮的作用是为了保护种子不被昆虫、鸟类等动物吃掉，所以这是栗子特有的防身武器呢。

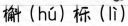

壳斗科的果实

虽然都戴着小帽子，但壳斗科植物头顶的小帽子形状颜色都不同。

槲 (hú) 栎 (lì)

栲 (kǎo)

麻栎

柯

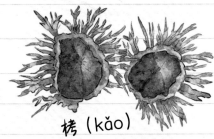

青冈

槲 (hú

栗

Castanea mollissima Blume

1. 坚果；2. 花枝及果枝。

别 名:板栗、栗子、毛栗、油栗	
科:壳斗科	属:栗属
分布区域:除青海、宁夏、新疆、海南等少数省区外	
花 期:4—6月	果 期:8—10月

桃

1.20元

"天下第一果"竟是它

小森叔叔：

　　您好！
　　秋天真好，好多果实都成熟了，昨天我们去果园里摘桃了。桃又大又圆，我摘了满满一篮子，味道自然是没的说！这么说来，我跟孙大圣还有同一个爱好呢！就是摘桃太累了，如果我有法力能让桃子自动落进篮子就好了。
　　小森叔叔，桃子为什么长那么多毛呢？我一直不理解，您能告诉我吗？
　　期待您的回复。

心怀好奇的安安

安安：

　　你好，我也喜欢秋天，硕果累累的。
　　桃子，我们太熟悉了。吃起来也酸甜可口，但正是因为这样，总是招引来各种各样的小昆虫。这些昆虫会对桃子造成不小的伤害，为了保护自己，桃子长出了绒毛，这些绒毛能够有效阻挡小昆虫的爬行和侵害。而且这些绒毛还可以阻挡阳光和雨水对果实的伤害呢。
　　但是也有一种桃子没有绒毛，它就是油桃，果皮光滑，味道也很香甜，我想你一定见过的。
　　期待你的下次来信！

你的大朋友小森

35

小森的植物笔记

夸赞老师教的学生多，一般都说桃李满园或者桃李满天下。为什么要用这两种水果呢？这是由于桃和李的适应性强，分布范围十分广泛，所以古人就用它们来比喻老师教的学生多。

（撰稿 实习编辑）

桃子为什么象征长寿呢？

中国人有一个传统的习俗，老人过寿时，年轻的后辈会送上"寿星桃"以祝福老人家长命百岁。其实，桃子和长寿的关系要从古代神话说起。传说中女神西王母，又称王母娘娘，每逢三千年结一次果的蟠桃长熟时，她就大摆寿宴，诸仙都来给她祝寿。久而久之，民间把西王母作为长生不老的象征，也用桃象征长寿，作为祝寿的礼品。

（摘自《米莱植物文化报》）

蔷薇科的果实类型

蔷薇科果实类型很多，如菁（gū）葵（tū）果、瘦果、梨果、核果。其中梨果和核果由于果肉厚、糖分高，深受人们的喜爱。

核果

梨果

菁葵果

瘦果

桃子是蔷薇科，水果好多都属于蔷薇科，比如梨、苹果、李、杏、梅、樱桃、山楂、草莓、海棠果、枇杷等，可以说美味的蔷薇科植物占了"水果界"的半壁江山。如果没有了蔷薇科，生活中肯定会缺少许多色彩和滋味。

蔷薇科的水果

阮识翰

桃

Amygdalus persica L.

1.果枝；2.花枝；3.子房剖面；4.果剖面及种子。

别　　名:桃树
科:蔷薇科　　　　属:桃属
分布区域:全国各省区广泛栽培
花　　期:3—4月　果　　期:6—9月

嗨，小森叔叔：

　　您好！
　　已经深秋了，天气越来越冷，得穿上厚厚的衣服才能去山里看红叶，我们一边背诵杜牧的《山行》一边一路向前，山上的枫叶红得像火，好美！安安卖弄说，枫叶是它的小名，这种植物的大名叫"槭"。
　　小森叔叔，它真的叫槭吗？我拍了照片给您。
　　期待您的回复。

乐乐

1.20元

鸡爪槭

霜叶红于二月花

嗨，乐乐：

　　你好，很开心收到了你的来信。
　　它确实是槭树叶。在北方，人们常见到的红枫、五角枫并不是真正的枫树，它们实际是槭树科的树种，槭树科是个大家族，广泛分布于东亚、北美、欧洲和非洲，其中以鸡爪槭、茶条槭、色木槭等树的红叶最出名。

　　枫树是我国又一类著名的红叶树种，真正的枫树，属于金缕梅科，是落叶大乔木，主要长在南方，南京栖霞山的红叶叫枫香树。可是不管是哪种树，深秋时节，能赏红叶，又能登高望远，确实很不错。
　　期待你的再次来信！

你的大朋友小森

小森的植物笔记

槭树的果实像飞刀

如果站在槭树下，就会发现槭树经常飘落"小飞刀"，其实它是槭树的果实，叫翅果。它的果皮伸展成翅状，像鸟的翅膀，果实看起来就像是小飞刀一样，到了果实成熟的时候，它们就从树上飘落下来。

槭树叶一到秋天就变红

当秋季来临，叶绿素由于寒冷的侵袭而遭到破坏，最后逐渐消失，叶子在凋落前受到强光、低温、干旱的影响，叶内的叶绿素被破坏消失，花青素增多，致使树叶变红。除了槭树，枫树、乌桕、黄栌的叶子都是这样变红的。

秋天为什么会落叶

秋天，树根吸收地下水分和营养的能力减弱。树干和树枝为了有足够的营养抵抗寒冬，就在树叶和树枝之间形成一种"离层"，隔绝了水源。树叶脱落以后，剩下光秃秃的枝干，树木对水分的消耗减少了，使得树木可以安全地过冬，所以树木落叶也是有益的。

L.R.

鸡爪槭
Acer palmatum Thunb.

1. 花枝；2. 果枝；3. 翅果；4. 雄花；5. 两性花。

别　　名：红枫、五角枫

科：槭树科　　　　属：槭属

分布区域：主要产地中国西南部

花　　期：5—7月　果　　期：7—9月

嗨，小森叔叔：

您好！

今天老师讲了一种树：生，一千年不死；死，一千年不倒；倒，一千年不朽，它叫作胡杨。老师说它是生长在沙漠中的神秘植物。小胡杨，它怎么能在那么恶劣的条件下屹立不倒呢？我特别好奇，也特别佩服它。小森叔叔，您了解胡杨树吗？森叔叔，期待您的回复。

乐乐

胡杨在秋季

胡杨在冬季

嗨，乐乐：

　　你好，很开心收到了你的来信。

　　提起沙漠，有人就会联想起干燥酷热、风沙
肆虐、见不到生命踪迹的景象。可是，沙漠的环
境尽管十分恶劣，却也有植物能够在那里顽强生
存。这就是你提到的胡杨树，它们被称为"沙漠
勇士"。

　　胡杨很耐旱，也耐风沙，它能够长到10米以
上，是少数可以生长在沙漠地区的高大树木。如
果你仔细看，会发现它有些叶子是针状的，这
样可以减少水分的散失。

　　胡杨的寿命很长，这是因为沙漠的昼夜温差
大，白天太阳直射时气温达40℃以上，而夜里又
降到-30℃以下。这种高温和低温相互交替的环境
使得胡杨的寿命比一般的树木要长，加上其惊人
的抗干旱、御风沙、耐盐碱的能力，像威武的勇士
沙漠之中，阻拦风沙，保护农田，守卫着自己的家园，因而又被人们赞誉为"沙漠
勇士"。

　　期待你的再次来信！

你的大朋友 小森

胡杨强大的储水本领！

胡杨

三千年不倒

1.20元

小森的植物笔记

耐旱的胡杨

胡杨很耐旱，也耐风沙，它能够长到以上，是可以生长在沙漠地区的高大树木细看，会发现它有些叶子是披针形的，这以减少水分的散失。

胡杨是沙漠宝树

胡杨全身都是宝。

胡杨的木料耐水抗腐，历千年而不朽，是上等的建筑和家具用材。胡杨树叶富含蛋白质和盐类，是牲畜越冬的上好饲料。胡杨木纤维长，是造纸的好原料，枯枝则是上等的燃料。胡杨的嫩枝是荒漠区的重要饲料。

特别的储水本领！

胡杨还有一套储存水的本领，一旦碰上雨季，胡杨的树干可以把从根吸收上来的水储存起来，为以后的长期干旱做准备。曾经有学者测试过，在胡杨的树干上钻一个孔，就会有大量的水喷涌而出，甚至可以射出1米之外！这足以说明，它的储水能力有多强大！除了快速吸水、大量储水，胡杨还特别善于节约用水。例如，它的细嫩枝叶上长满了毛，这样的结构可以有效地保持体内水分不易被蒸发。

植物水位探测仪

特约撰稿◎米莱自然科学小组

胡杨具有强大的根压和含碳酸氢钠的树叶，它的根系能伸展到浅水层，吸收生长所需的水分。科学家根据胡杨生长的痕迹就能判断沙漠里哪里有或曾有水源，而且还能判断出水位的高低。

会流泪的树！

如果折断胡杨的树枝，从断口处流出的树液很快会变干成为白色的固体，这就是人们常说的"胡杨泪"。其实这是胡杨的一项"绝技"，它能通过树干或树叶，把多余的盐碱排出来。这样就不会受到盐碱的侵袭了。

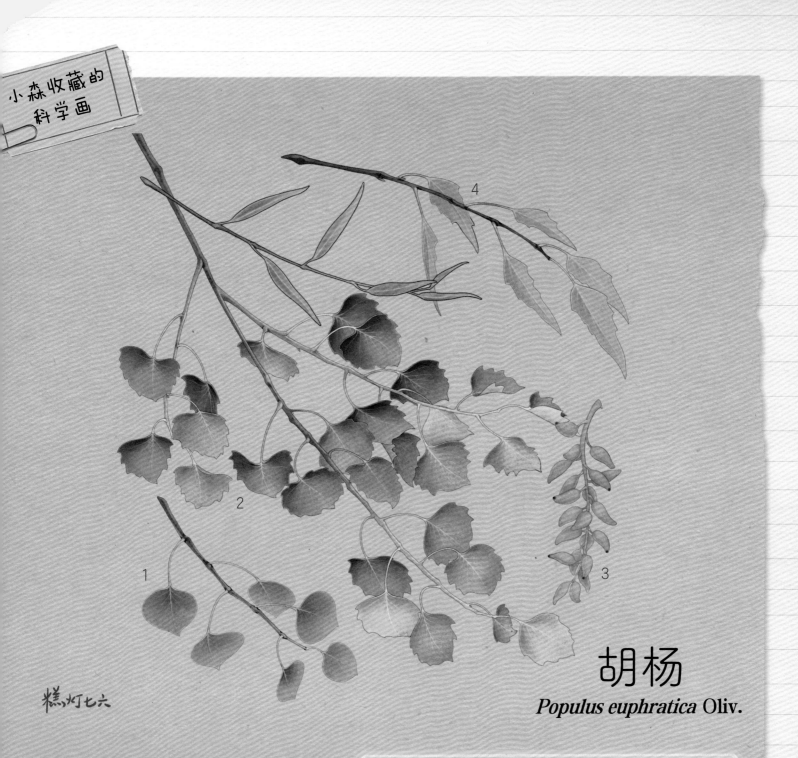

糕灯七六

胡杨

Populus euphratica Oliv.

1.成熟枝；2.枝条；3.果序；
4.萌枝叶。

别　　名:胡桐、英雄树、异叶胡杨、异叶杨、水桐	
科:杨柳科　　　属:杨属	
分布区域:我国西北地区	
花　　期:5月	果　　期:7—8月

白天

神奇的光合作用
和 呼吸作用

吸收光能

释放 O_2

合成糖类物质

吸收 CO_2

吸收 H_2O

图书在版编目（CIP）数据

秋天，很高兴认识你！ / 米莱童书著、绘. -- 北京:北京理工大学出版社，2021.7
（2025.1重印）
（中国植物，很高兴认识你！）
ISBN 978-7-5682-9751-6

Ⅰ. ①秋… Ⅱ. ①米… Ⅲ. ①植物—中国—儿童读物Ⅳ. ①Q948.52-49

中国版本图书馆CIP数据核字(2021)第068044号

出版发行 / 北京理工大学出版社有限责任公司
社　　址 / 北京市丰台区四合庄路6号
邮　　编 / 100070
电　　话 / （010）82563891（童书出版中心）
网　　址 / http://www.bitpress.com.cn
经　　销 / 全国各地新华书店
印　　刷 / 朗翔印刷（天津）有限公司
开　　本 / 787毫米×1092毫米　1 / 12
印　　张 / 4　　　　　　　　　　　　　　　责任编辑 / 户金爽
字　　数 / 100千字　　　　　　　　　　　　文字编辑 / 李慧智
版　　次 / 2021年7月第1版　2025年1月第10次印刷　责任校对 / 刘亚男
定　　价 / 50.00元　　　　　　　　　　　　责任印制 / 王美丽